Qu'est-ce qu'une princesse?

Presses Aventure

Paru sous le titre original de : *What's a Princess?*
Ce livre est une production de Random House, Inc.

Publié par **PRESSES AVENTURE**, une division de
LES PUBLICATIONS MODUS VIVENDI INC.
55, rue Jean-Talon Ouest, 2e étage
Montréal (Québec)
Canada H2R 2W8

Dépôt légal - Bibliothèque et Archives nationales du Québec, 2007
Dépôt légal - Bibliothèque et Archives Canada, 2007

Traduit de l'anglais par : Catherine Girard-Audet

ISBN-13 : 978-2-89543-599-0

Nous reconnaissons l'aide financière du gouvernement du Canada par l'entremise du Programme d'aide au développement de l'industrie de l'édition (PADIÉ) pour nos activités d'édition.

Gouvernement du Québec — Programme de crédit d'impôt pour l'édition de livres —
Gestion SODEC

Qu'est-ce qu'une princesse?

par Jennifer Liberts Weinberg
illustré par Atelier Philippe Harchy

Qu'est-ce qu'une princesse ?

Une princesse est une personne gentille.

Blanche-Neige donne un gros baiser à Grincheux.

Une princesse est un être intelligent. Belle lit beaucoup de livres.

Une princesse est une personne attentionnée. Belle aide Bête lorsqu'il est blessé.

Une princesse aime
se vêtir joliment.

Cendrillon porte une robe…

…et des pantoufles

de verre.

Qu'est-ce qu'une princesse ?
Une princesse est une personne courageuse.

Jasmine tient tête au méchant Jafar.

Une princesse est toujours prête à avoir du plaisir.

Jasmine s'envole
dans le ciel..

Une princesse est une personne qui aime observer de nouvelles choses.

Ariel trouve une épave abandonnée.

Une princesse est
un être rêveur.

Ariel désire aller
sur la terre ferme.

Qu’est-ce qu’une princesse ?
Une princesse possède
de bonnes manières.

« Merci »,
dit Aurore.

Une princesse est une personne qui aime chanter et danser.

Et une princesse est
quelqu'un qui vit
heureux jusqu'à
la fin des temps !